MOSAICO ITALIANO

Racconti per stranieri

5

serie *Miba Investigazioni*

Nicoletta Santoni

Primavera a Roma

LIVELLO 1/4

Ristampa della 1ª edizione

Foto in copertina di Valerio Varrone

Printed in Italy

Bonacci editore srl
Via Paolo Mercuri, 8
00193 ROMA (Italia)
tel:(++39)06.68.30.00.04
fax:(++39)06.68.80.63.82
e-mail: info@bonacci.it
http://www.bonacci.it

ISBN 88-7573-335-X

1

La sveglia suona da pochi secondi. Carlo allunga un braccio e la spegne.

Apre gli occhi. Rimane a letto ancora per qualche minuto, poi si alza lentamente e si avvicina alla finestra della sua stanza.

La apre e si affaccia.

A Carlo piace svegliarsi presto la mattina. La finestra dà sul balcone[1]. Carlo osserva i rami fioriti degli alberi; il sole penetra tra le foglie e gli scalda il viso.

Respira profondamente.

A volte per lavoro deve partire e stare via per molte settimane. Gli piace viaggiare, ma quando è lontano gli manca il suo balcone, gli mancano le sue piante.

Respira ancora il profumo dei fiori, poi va in cucina, prende la caffettiera, la apre con calma, la riempie di acqua e di caffè. La chiude con cura e la mette sul fornello.

Dopo un buon caffè le idee sono più chiare e la giornata può cominciare.

2

– Ciao Giovanni, come va?

– Carletto! Sempre di buon mattino tu, eh?

– Ma no! Non è tanto presto, dài... Sono già le otto... Lo sai che se non faccio una passeggiata prima di andare al lavoro poi mi va tutto storto[2]...! Mi dai *la Repubblica*[3], per piacere?

– Ecco, tieni.

– Grazie. E buon lavoro.

Carlo paga. Non può fare a meno di sorridere. Giovanni, il giornalaio, è una brava persona. Lo conosce da sempre e continua a

---

1 *Dà sul balcone*: si può vedere il balcone. Esempio: *la finestra della stanza da letto dà sulla strada*.

2 *Mi va tutto storto*: le cose non vanno bene.

3 *la Repubblica*: uno dei due grandi quotidiani italiani.

chiamarlo *Carletto* anche adesso che ormai è adulto. "Per lui sono ancora un bambino" pensa Carlo.

Con il giornale in mano attraversa ponte Sant'Angelo[4].

È primavera, e la primavera lo fa sentire sempre strano. Arriva il caldo ed è contento: con il caldo arriva l'estate e con l'estate un po' di riposo...

"Ma quando sono a Roma" pensa Carlo "è diverso. C'è qualcosa di più. Qualcosa di magico". Ogni volta che arriva la primavera pensa che gli dispiace di essere romano. "Cosa prova chi viene da fuori? Cosa prova chi vede questa città per la prima volta?" si chiede.

3

Prima di salire nel suo studio va a fare colazione ai "Tre Scalini", a Piazza Navona.

Entra e chiede un cappuccino e un cornetto[5], in piedi, come tutti i giorni. Apre il giornale e dà un'occhiata ai titoli in prima pagina.

Poi alza gli occhi e si guarda intorno. Cerca una persona, una donna. Una donna giovane che da una settimana incontra tutte le mattine in quel bar.

Eccola: è lì, seduta a un tavolo vicino all'entrata. È alta. Molto alta, bionda, magrissima, molto bella. Bella e semplice allo stesso tempo. Poco trucco[6]: solo le labbra rosse di rossetto.

È tanto tempo che Carlo non ha una storia[7] importante. Qualche avventura. Storie del passato che tornano per caso sulla sua strada.

---

[4] *Ponte Sant'Angelo*: uno dei ponti che attraversano il fiume Tevere nel centro storico di Roma. Si trova davanti a Castel Sant'Angelo, vicino alla Basilica di San Pietro.

[5] *Cornetto*: nome romano della *brioche*, un piccolo dolce che si mangia soprattutto al mattino.

[6] *Poco trucco*: alcune donne si *truccano* il viso, cioè usano dei *cosmetici* (*maquillage*), per migliorare il proprio aspetto. Tra i cosmetici più usati è il *rossetto*, per colorare le labbra.

[7] *Una storia*: (colloquiale) una storia d'amore. In un registro formale: *una relazione*.

Si sente solo.

E poi è primavera. A primavera gli sembra sempre di dover cambiare vita.

Vede che sul tavolo della sconosciuta ci sono una spremuta d'arancia e un toast[8]. Tutte le mattine fa colazione lì, da sola.

"Deve essere una donna molto indipendente" pensa.

Senza rendersene conto[9] le si avvicina.

Lei alza gli occhi.

Carlo inventa una scusa per parlarle, ma è un pensiero che dura solamente un istante.

Si ferma. "Ma cosa faccio?" si chiede.

Torna indietro, è indeciso, "ma sì..." si tranquillizza "ora le parlo, come in un film..."

Ma gli unici film che in quel momento gli vengono in mente sono quelli degli anni Sessanta. In quei film c'è sempre un ragazzo che abborda[10] una bionda in un bar.

Si gira, va alla cassa, paga ed esce.

"Che sciocco!" si dice.

Che giornata! Comincia proprio male... non solo non sente più la primavera, ma è anche piuttosto arrabbiato con se stesso...

4

Carlo è davanti alla porta di "Pubbliart", la sua agenzia.

Tira fuori le chiavi dalla tasca con difficoltà: ha le mani occupate dal giornale e dalle cartelline che contengono i suoi lavori. Le porta sempre con sé, anche a casa, la sera. Non si sa mai quando arriva l'idea giusta.

E poi a lui piace fare tardi, la notte. Gli piace lavorare con la finestra aperta e il vento fresco che fa svolazzare i fogli sul tavolo.

Ogni mattina fa molta attenzione a riportare tutto allo studio.

Finalmente riesce ad aprire la porta.

---

[8] *Toast*: *sandwich* ripieno di prosciutto e formaggio consumato caldo.
[9] *Senza rendersene conto*: senza pensare troppo a cosa sta facendo.
[10] *Abborda*: cerca di conoscere.

– Ciao Simona – dice entrando.

– Carlo... Ciao. Scusa... finisco questo lavoro e vengo di là. Ci sono dei messaggi sul tuo tavolo... Sono importanti... Dopo ti devo dire una cosa... – risponde Simona, la sua assistente.

Carlo la guarda muovere le dita velocemente sulla tastiera del computer. Sembra molto concentrata. Probabilmente deve finire qualcosa di importante.

– Dopo, dopo... – non ha voglia ora di richiamare nessuno.

È di cattivo umore. La donna del bar è ancora nei suoi pensieri. È la prima volta che pensa di parlare a una sconosciuta. Non gli piace questo nuovo aspetto di sé.

Simona entra nella sua stanza e lo fa tornare alla realtà.

– Ma cos'hai?

– Niente. Senti, se chiama qualcuno, io non ci sono. Devo finire il lavoro per Romeri.

– Di cosa si tratta? – si informa Simona.

– Di una nuova cioccolata. La vogliono lanciare sul mercato[11] il prossimo inverno.

Carlo fa il pubblicitario e Simona è la sua assistente. Mandano avanti l'agenzia da soli, ma il lavoro aumenta sempre di più. Forse hanno bisogno di altri collaboratori.

Simona vuole parlare: non possono certo continuare così. Però è una cara amica e lo conosce bene, quando lo vede pensieroso sa che è meglio non insistere.

– Sicuro che non ti serve nulla?

– No, grazie. Sto bene. Ho bisogno di stare tranquillo.

– Okay... se lo dici tu[12]... Io torno nella mia stanza.

Carlo apre il cassetto e prende il progetto di lavoro. Deve assolutamente trovare un'idea per quella cioccolata. Guarda attentamente gli appunti.

Sente squillare il telefono nella stanza di Simona, poi la sua voce.

– No, mi dispiace. Il dottor Agostini[13] in questo momento è occupato... se vuole lasciarmi il suo numero...

---

[11] *Lanciare sul mercato*: mettere in commercio, in vendita.

[12] *Se lo dici tu*: va bene, ma non sono d'accordo con te.

[13] *Dottore/dottoressa*: non si usa solo per i medici. Si usa (registro formale) per parlare di un laureato/una laureata in generale.

Carlo non riesce a concentrarsi. È distratto e preoccupato.

Decide di uscire. Si alza. Prende di nuovo le sue cartelline e si avvia verso la porta.

– Io esco. Torno più tardi.

– Ma... e il lavoro per Romeri?

– Lo porto con me. Vado a lavorare fuori. Ci vediamo dopo.

Quando Carlo si comporta così, Simona non lo sopporta. Ma quando è nervoso, purtroppo, non c'è niente da fare. Deve uscire e passeggiare per le vie del centro. Deve scaricare la tensione.

Inizia a camminare senza meta: passa da via dei Chiavari, gira per via dei Giubbonari e arriva a Campo de' Fiori[14], una delle piazze che preferisce.

A quest'ora c'è il mercato e a Carlo piace camminare in mezzo ai banchi colorati, pieni di frutta, fiori, verdura.

Deve stancarsi, sentire il bisogno di sedersi a pensare. È questo l'unico modo per fare spazio a delle idee nuove. A volte non può proprio lavorare chiuso in una stanza.

Cammina, cammina fino a calmarsi.

Poi entra in una birreria.

5

Simona sta finendo di fotocopiare l'ultima pagina di un vecchio lavoro, il "Progetto Berti", che deve mettere via.

Carlo, come molte persone, è disordinato e distratto nella vita e ordinato e preciso sul lavoro. Per Simona più che preciso Carlo è veramente pignolo[15]. Una volta al mese controlla tutto e... guai[16] se qualcosa non è al suo posto!

Ecco: finalmente il progetto è pronto. Può sistemarlo nella libreria che è nella stanza di Carlo.

Improvvisamente sente suonare il citofono.

– Sì? Chi è?

---

14 Si tratta di vie e di piazze del centro storico di Roma, dove si trovano molti locali pubblici (birrerie, bar, pizzerie, ristoranti) e negozi.

15 *Pignolo*: troppo preciso, che esagera nella precisione e nell'ordine.

16 *Guai*: (colloquiale) esprime minaccia o pericolo. Esempio: *Guai a te se non studi!*

– *Buongiorno, sono Barbara Martini della Miba Investigazioni. Ho un appuntamento con il dottor Agostini.*

– ?! – Simona rimane senza parole... Un appuntamento?! E dov'è Carlo? Anzi, dov'è tutta la sua precisione?

– *Mi sente?* – Barbara Martini non sa cosa pensare – *Ho un appuntamento. Posso salire?*

– Sì, certo. Terzo piano, la porta a destra dell'ascensore.

– *Grazie.*

Simona si lascia cadere sulla sua sedia.

Guarda l'orologio: le undici precise.

Il suono del campanello la fa rimettere in piedi velocemente. Si sistema i capelli, raccoglie i fogli che ha ancora in mano come meglio può e apre la porta con un sorriso.

All'apparenza[17] sembra calma ma dentro... oh, dentro... Ha un solo pensiero in testa: "quando torna Carlo... stavolta mi sente[18]".

Barbara Martini è una bella donna, giovane, gentile e decisa allo stesso tempo.

– Salve[19]. Ho un appuntamento con il dottor Agostini. Sono la socia di Miriam Blasi della *Miba Investigazioni.*

– Sì... Certo. Però... – cosa inventare adesso? – vede, il dottor Agostini si scusa ma... ha un impegno imprevisto fuori... Ha un problema che non riesce a risolvere. Ma magari[20] riesce a tornare in tempo.

– Ohhh – Barbara Martini per un momento sembra delusa, ma trova subito una soluzione – va bene, facciamo così: io aspetto fino alle dodici. Di più non posso perché ho un appuntamento.

Simona la fa aspettare nella sala delle riunioni. Barbara Martini continua a sorridere e non sembra provare fastidio per l'assenza di Carlo.

Ma Simona, che in genere è una persona socievole[21], non ha proprio voglia di fare conversazione.

– Le chiedo scusa, ma ho un lavoro da finire – si giustifica mentre chiude la porta e torna nella sua stanza. Si sente un po' in colpa:

---

[17] *All'apparenza*: a vederla da fuori / dall'aspetto esteriore.

[18] *Mi sente*: alzo la voce / protesto.

[19] *Salve*: *ciao* o *buongiorno*. Si usa soprattutto quando ancora non si sa se dare del tu o del lei alla persona che si saluta.

[20] *Magari*: forse.

[21] *Socievole*: che cerca la compagnia degli altri.

non le piace essere brusca[22]. Certe volte, però, non riesce proprio a capire Carlo... Cosa fare? Come giustificarlo? Lo squillo del telefono la fa tornare alla realtà. "È Carlo!" pensa con speranza.

– Pronto? Carlo?

– *Come "pronto Carlo"?! Carlo non è lì con te? E non c'è la mia amica, Barbara?*

Simona riconosce la voce di Matteo, un caro amico di Carlo.

– Matteo? Scusa, oh meno male che sei tu... Ma allora Barbara Martini è una tua amica?

– *Sì, ma cosa succede? Perché Carlo non c'è? E perché parli sottovoce[23]?*

– Perché di là c'è la tua amica ma io non so più dov'è Carlo – continua Simona che ormai non sa più se ridere o piangere – è fuori per finire un lavoro e io non so se si ricorda dell'appuntamento...

– *Ma non mi dire! Così anche Carlo ogni tanto perde la testa!*

– Eh già... peccato che poi io devo sistemare le cose. Aiutami, ti prego, sono disperata... – Simona sente Matteo ridere divertito.

– *Okay, mi puoi chiamare Barbara che le parlo io?*

– Cosa le dici?

– *Che quel rimbambito[24] di Carlo probabilmente non ricorda l'appuntamento.*

Simona trema al pensiero di Carlo: per le persone pignole dimenticare qualcosa è terribile... Comunque chiama Barbara Martini.

– Senta, c'è Matteo Brigo al telefono. Le vuole parlare. Ecco può prendere qui la telefonata – Simona indica a Barbara Martini la porta della sua stanza.

Barbara Martini annuisce[25] alle parole di Matteo, sorride e risponde gentilmente all'amico. Lo saluta. Guarda l'orologio. Poi guarda Simona.

– Sono cose che succedono...

– Eh già... – Simona è ancora imbarazzata.

– Beh, io vado. Torno oggi, nel pomeriggio, forse lo trovo...

– Oh sì, certo – ora Simona è pronta a rimediare al pasticcio[26].

---

[22] *Brusca*: dura, maleducata.

[23] *Sottovoce*: a voce bassa.

[24] *Rimbambito*: che ha perso la ragione. Molto colloquiale, se si usa male può diventare facilmente un'offesa.

[25] *Annuisce*: dice di sì con un movimento della testa.

[26] *A rimediare al pasticcio*: ad aggiustare il problema.

Prende in mano l'agenda dello studio e controlla la pagina giusta – alle sei, va bene?

– Perfetto. Allora, a dopo.

– Grazie e scusi ancora.

– Non importa, succede...

Simona accompagna Barbara Martini alla porta. "È davvero molto, ma *molto*, gentile" pensa.

6

Quante ore sono passate? Finalmente Carlo alza gli occhi dai disegni che ha lì, davanti a sé, sul tavolo.

Sospira soddisfatto: il lavoro per Romeri è finito, ed è anche un buon lavoro, un ottimo lavoro.

È seduto in una birreria di Piazza Farnese. Va molto meglio ora.

Ripensa alla donna del bar e gli viene da ridere. Non è più di cattivo umore.

È meglio rientrare in ufficio.

– Mi fa il conto per favore?

– Subito – il cameriere si avvicina con carta e penna.

Quando Carlo esce dal locale passa di nuovo a piazza Campo de' Fiori.

Sono le due e c'è un gran via vai di gente che smonta le bancarelle del mercato. In terra ci sono resti di verdure e di ogni genere di insalata. Quando si avvicina alla fontanella[27] sente l'odore forte del pesce fresco.

Dall'altra parte della piazza c'è il cinema "Farnese". Danno *L'uomo delle stelle*, di Tornatore[28].

"Dopo chiamo Giacomo e Angelica" pensa. "Magari possiamo andare a vederlo insieme stasera. Dicono che è un buon film". Giacomo e Angelica sono due vecchi compagni di studi di Carlo. Li conosce da più di quindici anni e non si lasciano mai sfuggire l'occasione di passare qualche ora con lui.

---

[27] *Fontanella*: piccola fontana. Per le strade di Roma se ne trovano moltissime.

[28] *Tornatore*: regista di cinema. È nato nel 1956 in Sicilia. Nel 1988 ha firmato *Nuovo Cinema Paradiso*, premiato con l'Oscar e con il Gran Premio Speciale al Festival di Cannes.

Carlo si avvicina al "Farnese". Rivede sui poster del cinema alcune scene di *Nuovo Cinema Paradiso*, il primo film di Tornatore.

Tornatore somiglia moltissimo a un suo vecchio amico, Matteo. Hanno la stessa forma del viso, e portano gli stessi occhiali.

"Matteo" pensa Carlo con affetto "magari stasera chiamo anche lui... Matteo!? Oh Dio!!! Matteo!" Carlo ricorda con angoscia.

Ha un appuntamento! E proprio con un'amica di Matteo, una investigatrice privata che neanche conosce!

Si calma. Forse è ancora in tempo. "Dunque, venerdì alle undici, undici e mezzo. Oggi è venerdì... e sono... sono..." guarda l'orologio: sono le due e dieci. "Mio Dio, che stupido!".

Mentre attraversa di corsa piazza della Chiesa Nuova non può fare a meno di pensare all'amico. Deve essere piuttosto offeso, ma si tranquillizza: Matteo non porta mai il broncio[29], è un tipo spiritoso... o forse no, magari è infuriato. Oh... beh, comunque non è il tipo da rompere un'amicizia per una cosa così...

Carlo pensa soprattutto al ritardo, "tre ore. Che figura[30]!".

Adesso è di nuovo di cattivo umore e gli sembra tutto terribile, come quella mattina al bar...

Ormai è persino inutile correre. Sicuramente l'amica di Matteo non lo aspetta più. O forse è ancora lì.

È meglio telefonare a Simona prima di tornare allo studio.

Entra in un bar.

– Buongiorno. Mi scusi, dov'è il telefono?

– È lì ma è rotto. Però c'è una cabina qui dietro l'angolo, a sinistra – lo informa la cassiera.

Carlo esce in fretta e furia[31]. Come sempre trovare un telefono a Roma è un'impresa impossibile! Stavolta però ha fortuna: la cabina c'è e, stranamente, funziona. Inserisce la scheda e fa il numero dell'agenzia.

È occupato.

Riattacca ed esce.

Una signora con molte borse della spesa entra dopo di lui. La porta della cabina è rotta. Si sente la telefonata.

---

29 *Non porta mai il broncio*: (informale) non rimane arrabbiato per molto tempo.

30 *Che figura!*: che brutta impressione le ho fatto!

31 *In fretta e furia*: in fretta e anche con un certo nervosismo.

– Sì... no... sì, a piazza della Chiesa Nuova... ma scusa, io che ne so... c'è lo sciopero degli autobus... ho anche fatto la spesa... no, non riesco a trovare neanche un taxi[32] e lo sciopero finisce alle quattro... non posso stare due ore in mezzo alla strada... va bene, tra mezz'ora... sì... davanti alla pasticceria... ciao, grazie...

Carlo si guarda in giro. Sì, sicuramente c'è lo sciopero degli autobus, non ne vede neanche uno nella lunga fila di macchine ferme al semaforo.

La signora esce con tutte le sue borse. Ha la faccia stanca.

Carlo rientra nella cabina e richiama Simona. Questa volta è libero.

Risponde la segreteria telefonica dello studio Pubbliart...

Accidenti[33]! Simona è uscita per il pranzo. Mette giù il telefono senza lasciare un messaggio.

Bene, questo significa che l'investigatrice non c'è. Può rientrare con calma.

Carlo è un tipo distratto. Spesso sfoglia il giornale o i suoi appunti mentre cammina.

Anche in questo caso esce dalla cabina e si gira senza fare attenzione. Ha lo sguardo fisso sui suoi fogli. Guarda la fotografia della cioccolata di Romeri. È ripiena di noccioline. "Forse la possiamo chiamare *Cioccocrock*" pensa con soddisfazione.

Inciampa in qualcosa, o meglio: in qualcuno.

Alza gli occhi e si sente morire: davanti a lui c'è la donna dei "Tre Scalini".

– Mi sc-scusi... – balbetta.

– Prego. Ah, scusi, per caso ha una moneta? – gli chiede lei tranquillamente.

"Non è di Roma" pensa. "Ha un accento del nord". Una cosa lo colpisce: la pronuncia della 'esse'[34]. Carlo non sa... gli sembra diversa, strana.

---

32 A Roma nelle ore di punta (di molto traffico) e in altre occasioni particolari (una manifestazione, uno sciopero degli autobus, ecc.) è molto difficile trovare un taxi libero.

33 *Accidenti!*: esclamazione informale. In questo caso esprime contrarietà, ma può esprimere anche rabbia, stupore, ecc.

34 I parlanti del nord pronunciano la lettera *esse* tra due vocali in modo diverso da quelli del centro e del sud.

E meravigliosa, anche.
La donna lo osserva serena.
– Per caso ha una moneta? – ripete con aria gentile.
Carlo si rende conto di essere ancora lì, sulla porta della cabina.
– Mi scusi – ripete ancora una volta, prima di farsi da parte. Si sente sciocco.
– Prego – ripete lei.
– Ha bisogno di una moneta? – ora sì che Carlo si sente ridicolo.
– Sì, grazie. Mi può cambiare cinquecento lire?
Carlo arrossisce. Lei lo riconosce. "È quel tipo del bar che tutte le mattine mi guarda da dietro il giornale. Da vicino è ancora più carino" osserva. Ora, però, ha altro a cui pensare.
Carlo le dà due monete da duecento lire e una da cento. Sorride quando lei lo ringrazia. Si allontana lentamente, poi più in fretta, poi di corsa.
Vuole andare via da lì.
Appena è possibile riprende fiato, si riorganizza le idee. "Devo essere impazzito" si dice.
Non si è mai comportato così con le donne.

7

Quando Carlo rientra la scrivania di Simona è ancora vuota.
Per prima cosa ascolta la segreteria telefonica.
BIP fa il segnale del primo messaggio.

sono Romeri, chiamo per sapere a che punto è il progetto e...

Carlo manda avanti il nastro.
Un altro *BIP* ed ecco il messaggio che gli interessa.

sono Matteo, so che a quest'ora lo studio è chiuso ma io non posso aspettare per dirti quanto sei...

Carlo spegne la segreteria. Non ha voglia di sentire gli insulti dell'amico.

Prende il telefono e chiama il bar dell'angolo.

– Sì, buongiorno. Qui è lo studio *Pubbliart*, mi può mandare un caffè? Sì, grazie, arrivederci.

Dopo pochi minuti suona il campanello. Carlo apre la porta ed entra Mario, il ragazzo del bar.

– Bella giornata, vero dottore?

– Eh sì. Si sente che arriva la primavera. Metti pure lì, grazie. Ecco, tieni.

– Grazie. Arrivederci.

Mario è contento perché Carlo gli dà sempre la mancia[35], anche quando porta su solo un caffè.

Sul suo tavolo Carlo trova un foglietto con un messaggio:

Barbara Martini torna
alle 18.00 in punto.
Se non ci sei, Matteo
ti toglie il saluto[36].
Nella busta qui accanto
c'è una scheda che
la riguarda.
Ciao
S.

Carlo sorride. Simona non spende mai molte parole. Lavorano insieme da quattro anni, si capiscono al volo[37].

Prende la busta bianca e la apre.

---

[35] *La mancia*: piccola quantità di soldi che si regala in cambio di un servizio. La mancia in genere si lascia al ristorante, al bar, dal parrucchiere, dal barbiere, negli alberghi, ecc.

[36] *Ti toglie il saluto*: non ti saluta più, rompe l'amicizia.

[37] *Al volo*: (colloquiale) subito.

```
Progetto: Campagna pubblicitaria per
AGENZIA DI INVESTIGAZIONI
Società per azioni
Socie: Miriam Blasi, avvocato, e Barbara
Martini, ex fotomodella
Personale fisso: due assistenti per le inda-
gini, una segretaria
Sede: Via Mario de' Fiori 42
Nome: MIBA, dai nomi delle socie, MIriam e
BArbara
```

Carlo si siede per leggere meglio.

La scheda è interessante: l'agenzia lavora bene. Risolvono spesso casi interessanti e difficili. Sembrano brave. Hanno bisogno di una buona pubblicità.

Carlo però sta diventando un po' pigro. Perché quando gli capita un lavoro nuovo non è più contento come una volta?

Alle tre e mezzo Simona rientra rumorosamente. È molto allegra.

– Carlooo! Dove sei? – grida dal corridoio – c'è un messaggio.

– Sì, grazie. Lo vedo!

– Ma lo sai che Matteo non ti vuole più vedere? – ora la voce è vicino a lui. Simona indossa ancora la giacca e ha un'aria molto contenta.

– Ma che succede?- le chiede Carlo.

– Ho una notizia per te... bellissima e ... bruttissima.

– Come amico o come capo? – chiede Carlo divertito.

– Bella come amico e brutta come capo.

Carlo intuisce.

– Hai vinto il concorso[38]?

Simona risponde di sì muovendo la testa dall'alto in basso.

È davvero una bella notizia!

Finalmente Simona può fare un corso di specializzazione in grafica pubblicitaria. È un sogno che ha da sempre.

---

[38] *Il concorso*: una gara per un posto di lavoro o per l'iscrizione a una scuola speciale.

– Brava! Non sei contenta? – chiede Carlo. Ma la sua voce ha una nota di tristezza.

Anche Simona ora è piuttosto seria. Pensano tutti e due al lato triste della faccenda.

Carlo, dopo un breve istante le sorride dolcemente. La abbraccia.

– Non ti preoccupare per l'agenzia... forse ho già una persona... un'amica di mia sorella.

Lei ha gli occhi lucidi però si mette subito a ridere. Non le piace farsi vedere triste. E poi Carlo non sa dire le bugie!

– Quanto siamo sciocchi! – ora è Simona a tranquillizzare Carlo – Sembra che non ci vediamo più. Io resto fino a settembre... Poi oggi non dobbiamo rovinare l'atmosfera... Questa è una giornata speciale per tutti e due. Anche per te – gli bisbiglia[39] in gran segreto nell'orecchio.

– Cosa vuol dire, scusa?

– Cosa? – chiede Simona, fingendo di non capire la domanda.

– Che è una giornata *speciale* anche per me?

– Sono sicura che alle sei...

– Alle sei? Parli di questa Barbara?

– Eh già...

Carlo ora ride di cuore.

– Ride bene chi ride ultimo[40]! Ti conosco... so che *questa Barbara*, come la chiami tu, è il tuo tipo[41] – annuncia l'ex assistente tornando nella sua stanza.

8

Carlo prende il telefono e chiama Giacomo e Angelica, i suoi due vecchi compagni di studi.

– Angelica? Ciao, sono Carlo... Bene grazie e tu?... Beh... veramente bene per modo di dire... sai, credo che Matteo... – e Carlo, come tutti, al telefono dice sempre che sta bene, anche se va tutto storto, come oggi.

---

[39] *Bisbiglia*: parla sottovoce.

[40] *Ride bene chi ride ultimo*: (proverbio tradizionale) se ridi troppo presto, rischi di pentirtene.

[41] *È il tuo tipo*: è la donna/l'uomo che piace a te.

Poi però non rinuncia a fare quattro chiacchiere.

Racconta ad Angelica la storia di Matteo e di Barbara Martini. E siccome Angelica è una vera amica, le racconta anche la storia della ragazza dei "Tre Scalini".

Angelica si diverte moltissimo.

– *Beh... questa per te è sicuramente una giornata speciale!*

Carlo rimane a bocca aperta.

– Ma scusa hai parlato con Simona?

– *No. Perché?*

– Anche lei dice così...

– *"Così" cosa?*

– Che per me questa è una giornata speciale...

– *Beh, lo credo bene! Da questa mattina ci sono ben due donne nella tua vita!*

– È vero... – la cosa colpisce Carlo, tanto che per qualche secondo rimane in silenzio.

– *Pronto? Ci sei?* – Angelica non sente più il suo amico e pensa che forse è caduta la linea.

– Sì, sì, scusa. Sono un po' pensieroso oggi.

– *Dài, a parte gli scherzi*[42]*, cosa fai stasera?*

– Eh? Sì... Ti chiamo proprio per questo. Cosa fate tu e Giacomo? Senti, perché non andiamo a vedere *L'uomo delle stelle*? lo danno al "Farnese".

– *L'uomo delle stelle?*

– Sì, l'ultimo film di Tornatore. C'è uno spettacolo alle dieci e mezzo.

– *Okay... Giacomo torna verso le otto, ceniamo e ci vediamo lì davanti alle dieci e venti, va bene?*

– Okay...

– *Ah, una cosa! Carlo? Ci sei ancora?*

– Sì sì, dimmi.

– *Porta almeno una delle due.*

– Delle due cosa?

– *Delle due donne misteriose, no?*

Carlo ride di cuore. Solamente Angelica riesce a farlo rilassare così.

– Allora, ci vediamo davanti al "Farnese", salutami Giacomo.

– *Sì, grazie, ciao...*

– Ciao.

---

[42] *A parte gli scherzi*: lasciamo stare gli scherzi e parliamo d'altro.

9

Alle sei del pomeriggio Carlo è in piedi davanti al suo tavolo. Aspetta Barbara Martini.

Per sicurezza, legge ancora una volta la scheda della *Miba Investigazioni.*

Suona il campanello.

Sospira. Non è una situazione piacevole. Prima di tutto deve chiederle scusa per l'appuntamento mancato del mattino.

I passi di Simona risuonano in corridoio.

Si apre la porta.

– Buonasera – dice una voce nuova.

Si chiude la porta.

Carlo ascolta con attenzione.

È un tipo intuitivo che osserva la gente di nascosto.

C'è qualcosa che non sa spiegarsi... qualcosa che lo rende leggermente nervoso. Ma non sa dire esattamente *cosa.*

– Si accomodi – Simona la invita a entrare – vedo se il dottore è libero.

Barbara rimane di là, nella sala delle riunioni. Simona invece entra nella stanza di Carlo. Ha la faccia da bambina dispettosa.

– È arrivato il tuo momento... – bisbiglia.

Carlo la fulmina con gli occhi: non è il momento di scherzare. Bisogna essere professionali quando serve.

Si siede dietro la scrivania. Intanto Simona chiama Barbara.

– Prego – le dice indicando la porta di Carlo con un gesto del braccio.

– Grazie.

– Buonasera – saluta Barbara Martini dalla porta.

Carlo la osserva per un secondo, forse anche meno.

Balza in piedi con uno scatto. Ma quella... quella...

– Buonasera – ripete lei. E la sua 'esse' a Carlo sembra diversa, strana.

E meravigliosa, anche.

Carlo la guarda. Guarda i suoi capelli biondi. I suoi occhi azzurri. Le sue labbra fresche di rossetto.

Per qualche secondo, secondi interminabili, le parole gli si bloccano in gola.

Carlo non parla, non può parlare.
Finalmente sospira, sorride.
Dio, che scherzi fa la primavera!
Passa intorno al tavolo lentamente. Si avvicina.
La guarda diritto negli occhi, "stavolta non la lascio andare via".
– Ti va di venire al cinema stasera? Andiamo al "Farnese". Sai, danno *L'uomo delle stelle*, di Tornatore. E poi c'è una mia amica che vuole conoscerti, si chiama Angelica.
Barbara lo guarda. O meglio: guarda quello strano tipo che dice cose senza senso. Ma forse non sono poi così senza senso...
Si sforza di ricordare. Nel dubbio stringe gli occhi. Con la mano si tira indietro i lunghi capelli. Ora sì che lo riconosce: è quello strano tipo del bar e della cabina telefonica...
È carino da morire! Sorride divertita.
– E perché no? In fondo non l'ho ancora visto – risponde.

ATTIVITÀ

1

1. Qual è il titolo della storia?

2. A Carlo, piace viaggiare?

3. Carlo a colazione prende un caffè. Leggi questo testo. Sottolinea una volta le cose da mangiare e due volte le cose da bere.

Per molti italiani bere il caffè è come un rito. In casa viene preparato con la caffettiera moca, al bar con la macchina elettrica espresso. È raro l'uso del caffè istantaneo (in polvere) e del caffè all'americana. A colazione molti prendono solamente una tazzina di caffè nero, oppure una tazza di latte e caffè. Alcuni mangiano dei biscotti, una fetta di dolce o del pane con burro e marmellata. Pochissime persone bevono succhi di frutta, uova o alimenti salati.

4. Cosa significa "stare via"?

a. le cose non vanno bene

b. uscire dal mondo dei sogni

c. essere lontani da casa

2

1. In quale città vive Carlo?

2. Carlo va da Giovanni, il giornalaio. Carlo e Giovanni si danno del tu. Vuoi sapere perché? Leggi il testo che segue.

L'uso del tu tra un cliente (chi compra) e il commerciante (chi vende) è possibile tra persone che si conoscono da molto tempo, anche se non sono amici; negli altri casi si usa il Lei di cortesia. Il tu è invece possibile tra coetanei giovani.

3. Cosa significa "mi va tutto storto"?

a. le cose non vanno bene per me

b. uscire dal mondo dei sogni

c. essere lontani da casa

3

1. Unisci con una linea.

a. si guarda intorno

b. gli vengono in mente

a. gli succede qualcosa

b. vede le cose vicino a lui

c. lo fa uscire dal mondo dei sogni

d. ricorda

e. gira senza una meta

2. Rimetti in ordine questa frase:

a fare/ di/ salire/ suo/ colazione/ ai/ «Tre Scalini», / a/ Prima/ nel/ Piazza Navona./ va/ studio

Ora leggi il testo che segue.

Molte persone, una volta uscite per andare al lavoro, prendono qualcosa al bar, in genere un cappuccino (un latte e caffè preparato con macchina espresso) e una brioche. Quando è possibile si torna al bar durante la mattinata, soli o in compagnia dei colleghi di lavoro, per prendere un altro caffè.

Nei bar si può mangiare qualcosa (non un vero e proprio pasto), ad esempio un panino, un tramezzino (una specie di sandwich ripieno) o delle piccole pizze. Soltanto in alcuni bar, in genere molto grandi, è possibile sedersi. Gli italiani non danno quasi mai appuntamento in un bar, ed è raro vedere qualcuno seduto a leggere un libro o a lavorare.

Anche nel tuo paese è così?

4

1. Fai una lista delle cose da mangiare e da bere che compaiono fin qui.

2. Metti in ordine la prima parte della giornata di Carlo.

a. Compra il giornale.

b. Fa il caffè.

c. Va a fare colazione ai «Tre Scalini».

d. Spegne la sveglia.

e. Apre la porta dello studio.

f. Cammina in mezzo al mercato.

g. Cerca una donna giovane che incontra sempre al bar.

h. Sente il profumo dei fiori.

3. Perché Carlo decide di uscire dallo studio?

4. Sai cos'è "un mercato"? Leggi il testo che segue e sottolinea le cose che non sono alimenti (che non si mangiano).

A Roma i mercati all'aperto chiudono a fine mattinata, alle 13.30 circa. Solo alcuni a volte riaprono il pomeriggio. In tutti i mercati è possibile comprare frutta e verdura. Nei più grandi si possono acquistare pane, pasta, carne, pesce, formaggi, salumi, vestiti e oggetti per la pulizia della casa.

5. Unisci come nell'esempio.

a. camminare senza meta →	a. cos'è?
b. ma cos'hai?	b. cosa ti succede?
c. di cosa si tratta?	c. lo fa uscire dal mondo dei sogni
d. lo fa tornare alla realtà	d. fare una passeggiata

5

1. Chi è Barbara Martini?

a. Un'investigatrice amica di Carlo.

b. Una sconosciuta.

c. Un'investigatrice amica di Matteo.

2. Ricomponi questa frase.

volte,/non/ Certe/però,/riesce/capire./a/proprio

3. Sai descrivere Carlo? Completa le frasi.

a. È _____ e ______ nella vita.

b. È _____ e _____ sul lavoro.

c. Per Simona più che _____ Carlo è veramente _____ .

6

1. Ricomponi le frasi.

a. da/bionda/bar/gli/Ripensa/viene/alla/del/e/ridere.

b. di/più./Sicuramente/Matteo/non/aspetta/lo/l'amica

2. Chi sono Giacomo e Angelica?

a. Una coppia di amici.

b. Due fratelli.

c. Due vecchi compagni di studi di Carlo.

3. Cosa succede a Carlo quando pensa a Matteo?

a. Ricorda di avere un appuntamento.

b. Ricorda di doverlo chiamare.

c. Pensa al cinema.

4. Perché Carlo ora è sicuro che la ragazza che incontra non è romana?

a. Perché scopre come si chiama.

b. Perché ha un accento straniero.

c. Perché ha un accento diverso.

5. Carlo piace alla bionda misteriosa?

a. Sì.

b. No.

c. Non si sa.

6. Completa il dialogo, poi leggi il testo che segue.

– Buongiorno. Mi scusi, dov'è il __________ ?

– È lì ma è ________ . Però c'è una _________ qui dietro l'angolo, a sinistra – lo informa la cassiera.

I telefoni pubblici funzionano con una scheda magnetica da 5.000, 10.000 o 15.000 lire. La puoi comprare nei negozi di Tabacchi e in alcune edicole. Alcuni telefoni funzionano anche con monete da 100, 200 o 500 lire, ma non danno il resto.

7

1. Segna se si danno del tu o del Lei.

	TU	LEI
a. Carlo e il giornalaio.	❑	❑
b. Carlo e Simona.	❑	❑
c. Simona e Barbara Martini.	❑	❑
d. Matteo e Simona.	❑	❑
e. Carlo e la bionda della cabina telefonica.	❑	❑
f. Matteo e Carlo.	❑	❑

2. Quale formula usa il barista per congedarsi da Carlo?

a. Arrivederci.

b. Ciao.

c. Bella giornata, vero?

3. A chi telefona Carlo dallo studio?

a. Al bar.

b. Al ristorante.

c. Alla birreria.

8

1. Dove e a che ora si vedono Carlo, Angelica e Giacomo per andare al cinema? Rispondi, poi leggi il testo che segue.

I cinema romani sono aperti dalle ore 15.00 circa. Sono sempre chiusi al mattino (anche durante il fine settimana). In genere gli spettacoli (le proiezioni) sono quattro (due nel pomeriggio e due di sera). L'ultimo è alle 22.30 circa. In molti cinema si può entrare anche a metà spettacolo e rimanere dopo la fine a vedere la prima parte.

2. Ricostruisci il dialogo, poi leggi il testo che segue.

– Okay... Giacomo torna verso le otto, ceniamo e ci vediamo lì davanti alle dieci e venti, va bene?

– Sì sì, dimmi.

– Okay...

– Ah, una cosa! Carlo? Ci sei ancora?

In tutte le grandi città italiane normalmente si cena a partire dalle ore 20.00 fino alle 21.30 circa. Al Centro-Sud si cena più tardi che al Nord. Nelle campagne e nei paesi l'orario dei pasti è in genere anticipato.

9

1. Chi apre la porta quando arriva Barbara?

2. Cosa pensa Carlo quando sente la voce di Barbara dal suo studio?

3. Perché Carlo si innervosisce quando sente la voce di Barbara?

4. Completa il testo con i verbi che seguono.

fulmina	è	dice	chiama	saluta	serve	siede

Carlo la ______ con gli occhi: non ______ il momento di scherzare. Quando ______ bisogna essere professionali.

Si ______ dietro la scrivania. Intanto Simona ______ Barbara:

– Prego – le ______ indicando la porta di Carlo con un gesto del braccio.

– Grazie.

– Buonasera – ______ Barbara Martini dalla porta.

CHIAVI

1

1. *Primavera a Roma*. **2.** Sì. **3.** Cose da mangiare: biscotti, fetta di dolce, pane, burro, marmellata, uova, alimenti salati. Cose da bere: caffè, latte, succhi di frutta. **4.** c

2

1. Roma. **3.** a

3

1. a-b, b-d **2.** Prima di salire nel suo studio va a fare colazione ai «Tre Scalini», a Piazza Navona.

4

1. acqua; caffè; cappuccino; cornetto; spremuta d'arancia; toast; cioccolata; frutta; verdura. **2.** d; h; b; a; c; g; e; f. **3.** Perché è nervoso. Deve uscire e passeggiare. Deve scaricare la tensione. **4.** vestiti e oggetti per la pulizia della casa. **5.** a-d; b-b; c-a; d-c.

5

1. c **2.** Certe volte, però, non riesce proprio a capire. **3.** a. disordinato; distratto. b. ordinato; preciso. c. preciso; pignolo.

6

1. a. Ripensa alla bionda del bar e gli viene da ridere. b. Sicuramente l'amica di Matteo non lo aspetta più. **2.** c **3.** a **4.** c **5.** a **6.** telefono; rotto; cabina.

7

1. a. TU; b. TU; c. LEI; d. TU; e. LEI; f. TU. **2.** a **3.** a

8

1. Davanti al cinema «Farnese» alle dieci e venti. **2.** – Okay... Giacomo torna verso le otto, ceniamo e ci vediamo lì davanti alle dieci e venti, va bene? – Okay... – Ah, una cosa! Carlo? Ci sei ancora? – Sì sì, dimmi.

9

1. Simona. **2.** Che Barbara parla bene l'italiano, ma c'è qualcosa che non sa spiegarsi... qualcosa che lo rende leggermente nervoso. **3.** Perché l'accento di Barbara gli ricorda la bionda della cabina telefonica. **4.** fulmina; è; serve; siede; chiama; dice; saluta.

L'italiano per stranieri

Amato
Mondo italiano
testi autentici sulla realtà sociale
e culturale italiana
- libro dello studente
- quaderno degli esercizi

Ambroso e Stefancich
Parole
10 percorsi nel lessico italiano
esercizi guidati

Avitabile
Italian for the English-speaking

Balboni
GrammaGiochi
per giocare con la grammatica
schede fotocopiabili

Ballarin e Begotti
Destinazione Italia
l'italiano per operatori turistici
- manuale di lavoro
- 1 audiocassetta

Barki e Diadori
Pro e contro
conversare e argomentare in italiano
- 1. liv. intermedio - libro dello studente
- 2. liv. intermedio-avanzato - libro dello studente
- guida per l'insegnante

Battaglia
Grammatica italiana per stranieri

Battaglia
Gramática italiana
para estudiantes de habla española

Battaglia
Leggiamo e conversiamo
letture italiane con esercizi
per la conversazione

Battaglia e Varsi
Parole e immagini
corso elementare di lingua italiana
per principianti

Bettoni e Vicentini
Passeggiate italiane
lezioni di italiano - livello avanzato

Bettoni e Vicentini
Imparare dal vivo **
lezioni di italiano - livello avanzato
- manuale per l'allievo
- chiavi per gli esercizi

Buttaroni
Letteratura al naturale
autori italiani contemporanei
con attività di analisi linguistica

Camalich e Temperini
Un mare di parole
letture ed esercizi di lessico italiano

Carresi, Chiarenza e Frollano
L'italiano all'opera
attività linguistiche
attraverso 15 arie famose

Cherubini
L'italiano per gli affari
corso comunicativo di lingua
e cultura aziendale
- manuale di lavoro
- 1 audiocassetta

Cini
Strategie di scrittura
quaderno di scrittura - livello intermedio

Diadori
Senza parole
100 gesti degli italiani

du Bessé
PerCORSO GUIDAto
guida di Roma con attività ed esercizi

Gruppo META
Uno
corso comunicativo di italiano - primo livello
- libro dello studente
- libro degli esercizi e sintesi di grammatica
- guida per l'insegnante
- 3 audiocassette

Gruppo META
Due
corso comunicativo di italiano - secondo livello
- libro dello studente
- libro degli esercizi e sintesi di grammatica
- guida per l'insegnante
- 4 audiocassette

Gruppo NAVILE
Dire, fare, capire
l'italiano come seconda lingua
- libro dello studente
- guida per l'insegnante
- 1 audiocassetta

Humphris, Luzi Catizone, Urbani
Comunicare meglio
corso di italiano
livello intermedio-avanzato
- manuale per l'allievo
- manuale per l'insegnante
- 4 audiocassette

Finito di stampare nel mese di settembre 1999 dalla TIBERGRAPH s.r.l. - Città di Castello (PG)